TABLE DES MATIÈRES

ISBN : 978-2-215-06039-0

Dépôt légal à la date de parution.
Conforme à la loi n°49-956 du 16 juillet 1949
sur les publications destinées à la jeunesse.
Imprimé en Italie (06-09).

L'imagerie de la montagne

Conception et textes :
Émilie Beaumont

Images :
Marie-Christine Lemayeur
Bernard Alunni

GROUPE FLEURUS, 15-27, rue Moussorgski, 75018 PARIS
www.editionsfleurus.com

LES MONTAGNES DANS LE MONDE

LES MONTAGNES DANS LE MONDE

Ci-dessous sont représentées les principales chaînes de montagnes que tu vas découvrir dans les pages suivantes.

Les montagnes sont présentes un peu partout dans le monde. Elles ont toutes l'air de se ressembler, mais chacune est différente.

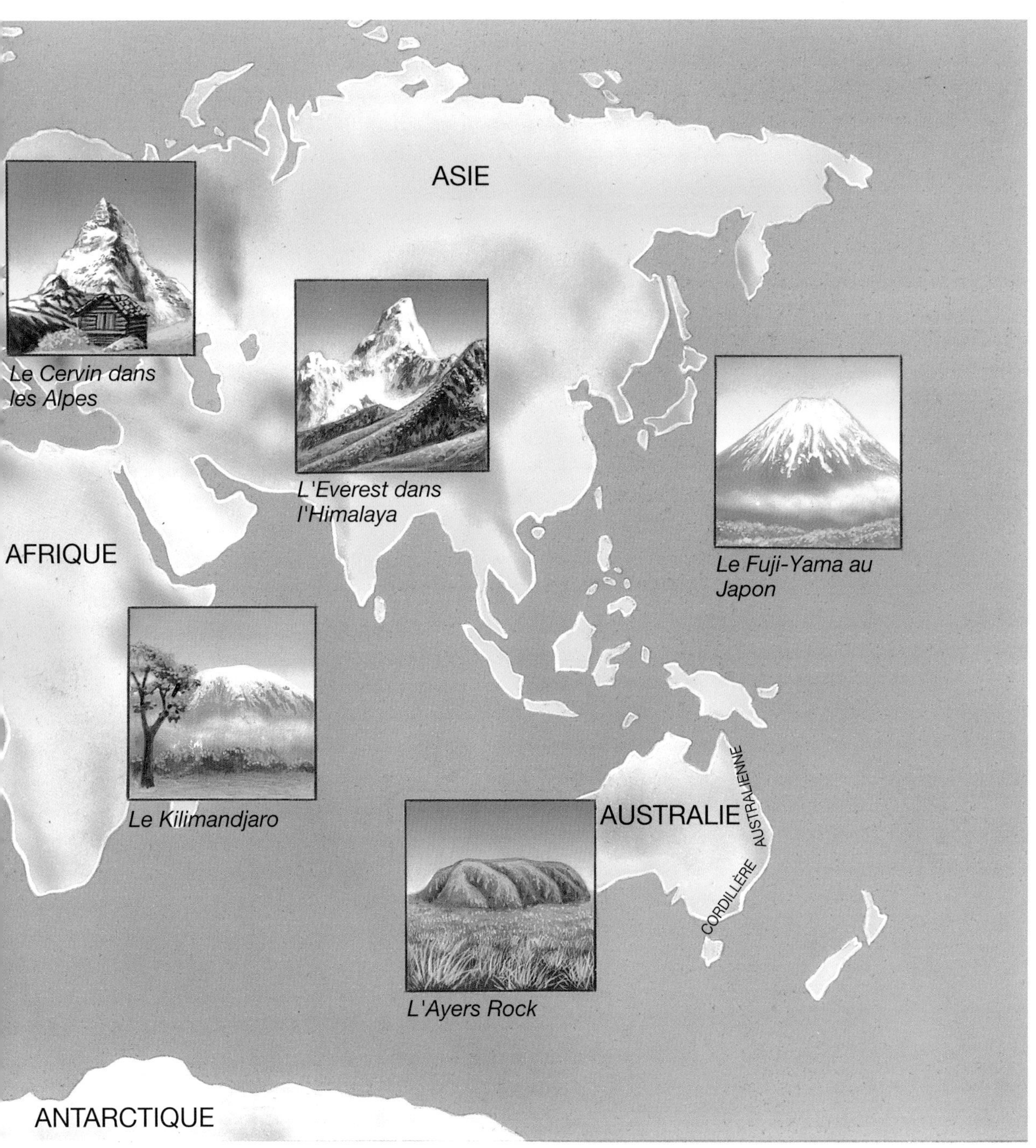

LA FORMATION DES MONTAGNES

La surface de la planète est composée de plaques. Quand elles se cognent entre elles, elles peuvent provoquer la formation d'une montagne.

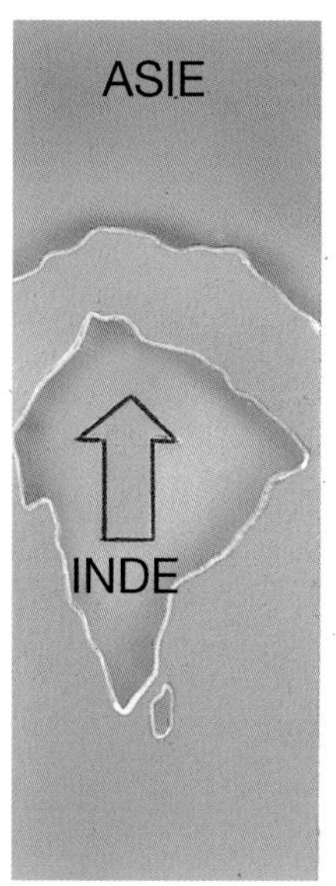

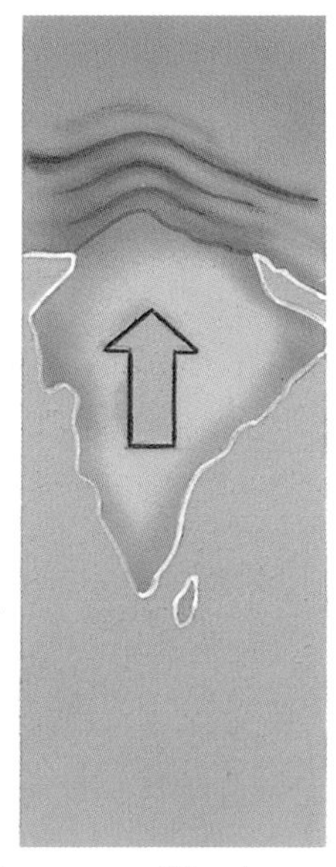

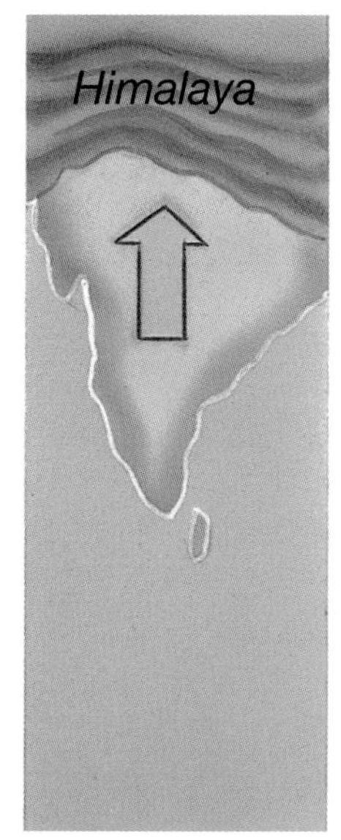

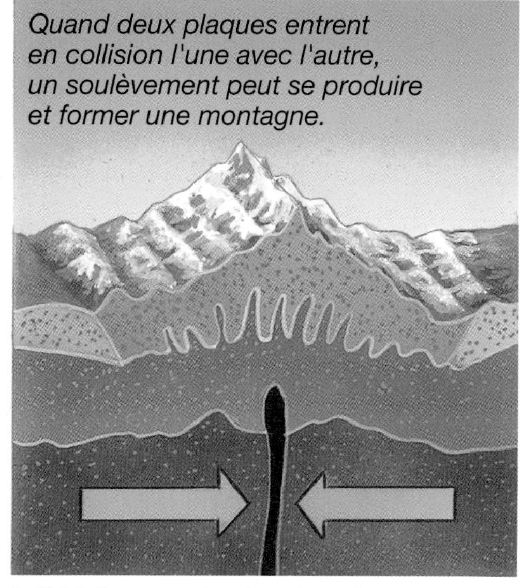

Il y a très longtemps, l'Inde, qui était attachée à l'Afrique, s'est mise à remonter vers l'Asie. La rencontre donna naissance à l'Himalaya. Mais on ne peut pas percevoir ces mouvements : ils sont très lents et durent des millions d'années.

En se promenant en montagne, on admire parfois des roches toutes plissées. Le mouvement de vague montre comment les couches se tordent.

DES MONTAGNES DIFFÉRENTES

Toutes les montagnes ne se ressemblent pas. Elles ont des sommets très pointus, ou des sommets arrondis et des pentes douces.

Ce sont les montagnes jeunes qui ont des sommets pointus, souvent enneigés, des versants raides et des vallées étroites.

Les montagnes les plus vieilles ont des sommets arrondis et de larges vallées. Elles ont été usées par l'eau, le vent et le gel.

L’HIMALAYA

Située en Asie (voir p. 9), cette chaîne de montagnes est très connue, car on y trouve le plus haut sommet du monde : l'Everest (8 846 m).

Pour gravir les très hauts sommets, il faut prendre des précautions car, au-dessus de 3 000 m, on a du mal à respirer et le corps doit s’habituer à l’altitude. Alors, les alpinistes prennent leur temps : aidés de porteurs, appelés sherpas, ils installent des camps dans lesquels ils restent plusieurs jours avant de monter au sommet, d’où ils redescendent très vite.

LA CORDILLÈRE DES ANDES (voir p. 8)

C'est la plus longue chaîne de montagnes du monde. Elle s'élève en Amérique du Sud. Son plus haut sommet est un volcan de 6 959 m.

Les cimes de la cordillère des Andes dominent de très hauts plateaux, où vivent des populations qui travaillent la terre.

LES ROCHEUSES (voir p. 8)

Ce vaste massif montagneux s'étend en Amérique du Nord. Son sommet le plus haut s'élève à 6 194 m, en Alaska, une région très très froide.

Les Rocheuses sont de très belles montagnes parsemées de nombreux lacs, dont certains ont une superbe couleur bleu turquoise.

LES ALPES (voir p. 9)

Elles sont situées en Europe, entre la mer méditerranée et l'Autriche. Le sommet le plus haut est le mont Blanc, 4 808 m. Il est en France.

Le mont Cervin (4 478 m) est une montagne suisse appelée Matterhorn en allemand. Il est très reconnaissable par sa forme en pyramide.

On peut admirer la mer de Glace, dans le massif du Mont Blanc, grâce à un petit train à crémaillère. Autrefois les touristes montaient à dos de mulet et on leur vendait des chaussettes qu'ils mettaient par-dessus leurs chaussures pour marcher sur la glace.

LES CARPATES (voir p. 9)

Ce massif montagneux d'Europe est moins élevé que les Alpes. Son plus haut sommet culmine à 2 655 m.

Ce sont des montagnes recouvertes de très belles forêts, que l'on parcourt souvent en traîneau pour en admirer la beauté.

DES MONTAGNES D'AFRIQUE

Sur ce continent, le contraste entre les sommets enneigés et le désert ou les plaines grillées par le soleil offre un très beau spectacle.

Les montagnes de l'Atlas (voir p. 8 et 9) se dressent dans le nord de l'Afrique, au Maroc et en Algérie. Le sommet le plus haut atteint 4 165 m.

Les plus hautes montagnes d'Afrique sont le Kilimandjaro (voir p. 9), 5 895 m, et le mont Kenya (ci-contre), 5 199 m. Leurs cimes sont recouvertes de neiges éternelles, alors qu'elles se trouvent dans l'une des régions les plus chaudes de la Terre.

UNE MONTAGNE SACRÉE (voir p. 9)

En Australie, les montagnes ne sont pas très élevées : la plus haute n'atteint que 2 228 m et la plus petite, l'Ayers Rock, culmine à 867 m.

L'Ayers Rock est une montagne très âgée. Elle aurait 500 millions d'années. Elle se serait formée bien avant l'apparition des dinosaures.

L'Ayers Rock est un énorme rocher rouge. C'est un lieu sacré pour les Aborigènes, qui sont les premiers hommes à avoir habité l'Australie.

D'AUTRES MONTAGNES D'ASIE (voir p. 9)

En Chine, il y a de nombreux massifs montagneux, avec des vallées très profondes, des cascades vertigineuses et de très beaux lacs.

Quelques montagnes chinoises sont sacrées et de nombreux Chinois se rendent dans les temples construits sur leurs pentes.

Cette montagne est un volcan éteint appelé Fuji-Yama. Il s'élève à 3 776 mètres. C'est le plus haut sommet du Japon.

LES ROCHES DE MONTAGNE

Les roches qui composent les montagnes ne sont pas toutes les mêmes : elles sont plus ou moins dures.

Les montagnes en roches tendres s'usent plus vite et sont très découpées.

D'autres sont en ardoise : c'est la pierre sur laquelle tu écris avec une craie.

Les alpinistes escaladent des parois constituées de roches très dures.

Les volcans sont couverts de lave qui durcit en refroidissant.

UN VOLCAN EN ACTIVITÉ

Le schéma ci-dessous permet de mieux comprendre pourquoi le volcan se met à cracher du feu.

1. Dans les profondeurs de la Terre, il fait si chaud que les roches fondent. 2. Les roches fondues, appelées laves, mélangées à des gaz, remontent par les fissures de la Terre. 3. Arrivée au sommet du volcan, la lave jaillit et s'écoule sur les pentes, brûlant tout sur son passage.

LES VOLCANS

Ce sont des montagnes particulières. Leur sommet ressemble à une cuvette appelée cratère, d'où sort la lave quand le volcan est en activité.

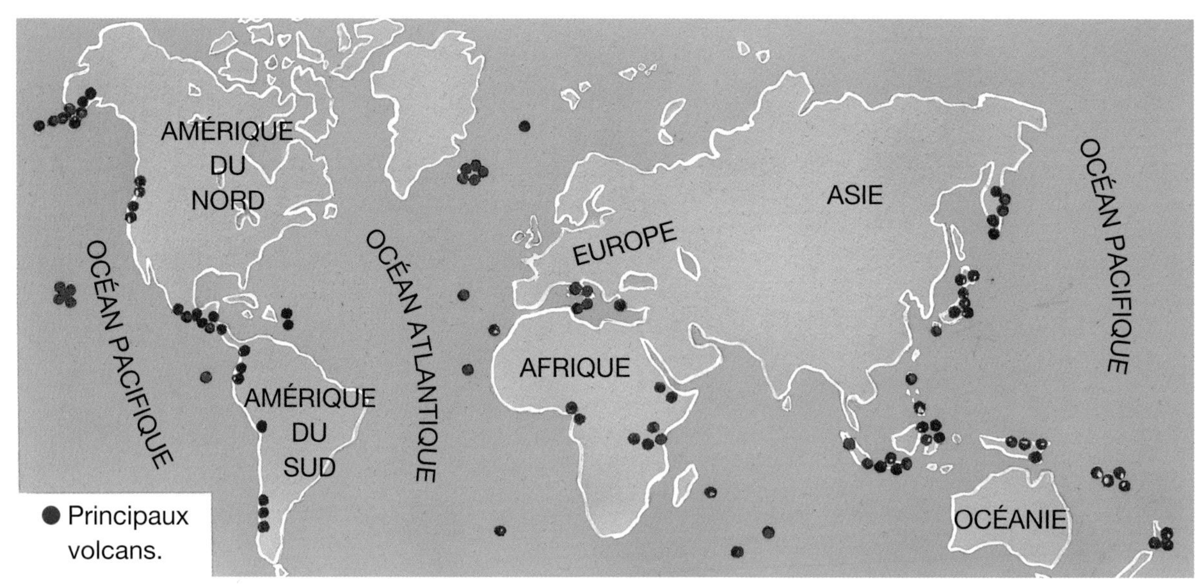

Les petits points rouges représentent tous les volcans qui existent dans le monde. Les plus nombreux se trouvent au bord de l'océan Pacifique.

Parfois, les volcans surgissent de la mer et forment une île.

Si un volcan ne crache plus de lave longtemps, on dit qu'il dort.

QU'EST-CE QU'UN GLACIER ?

C'est un long fleuve de glace qui descend très lentement le long des pentes de la montagne. Certains descendent plus vite que d'autres.

Sur les sommets, la neige ne fond pas, elle se tasse et se transforme petit à petit en glace. C'est la glace qui, en s'accumulant pendant de nombreuses années, formera un glacier.

UN VRAI BULLDOZER

En descendant de la montagne, le glacier entraîne avec lui des morceaux de roches et creuse le sol.

Il y a très très longtemps, il faisait froid sur la Terre et de nombreux glaciers se sont formés. Quand l'air s'est réchauffé, beaucoup ont fondu.

À la place du glacier apparaît un sillon plus ou moins creusé et plus ou moins large. Certains d'entre eux ont créé de profondes vallées.

LES CREVASSES

Durant sa descente, le glacier rencontre des obstacles : il se casse et des crevasses plus ou moins profondes se forment.

Le glacier est très dangereux. On ne se promène pas dessus en baskets et en tee-shirt ! Les alpinistes sont encordés et leurs chaussures sont munies de crampons. Ils s'aventurent rarement seuls sur la glace.

Ce dessin montre le dessous du glacier, que l'on peut apercevoir parfois depuis les côtés ou dans les crevasses. C'est un univers de glace fantastique.

CÔTÉ OMBRE, CÔTÉ SOLEIL

Les deux versants de la montagne ne reçoivent pas la même quantité de soleil : l'un est plus froid que l'autre.

CÔTÉ FROID

C'est le côté qui reste le plus longtemps à l'ombre pendant les mois d'hiver. Les stations de ski s'y installent, car la neige tient mieux. Les glaciers sont situés sur ce versant.

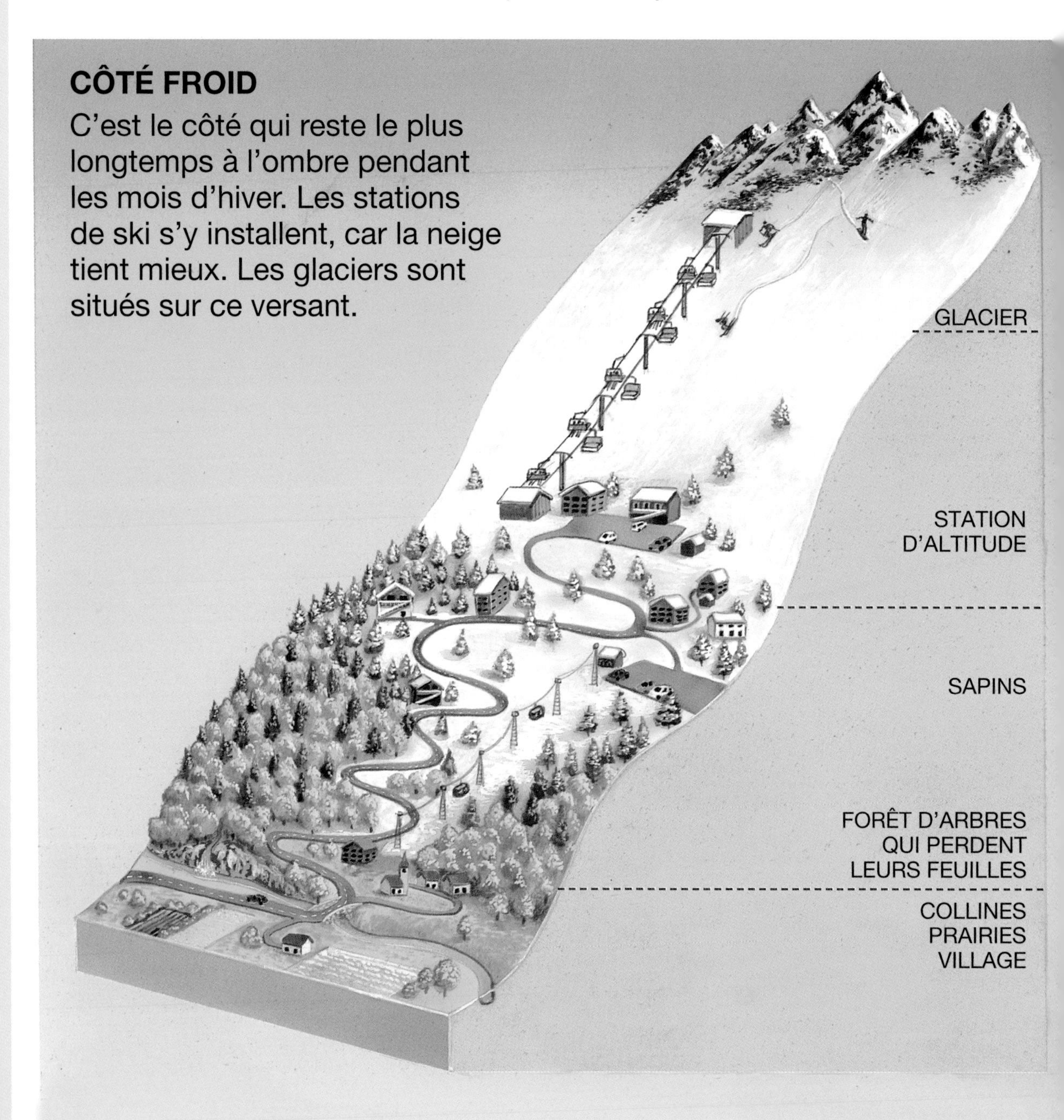

Les champs sont situés sur les pentes les plus chaudes de la montagne. Les agriculteurs coupent les arbres de la forêt pour augmenter la surface de terre à cultiver.

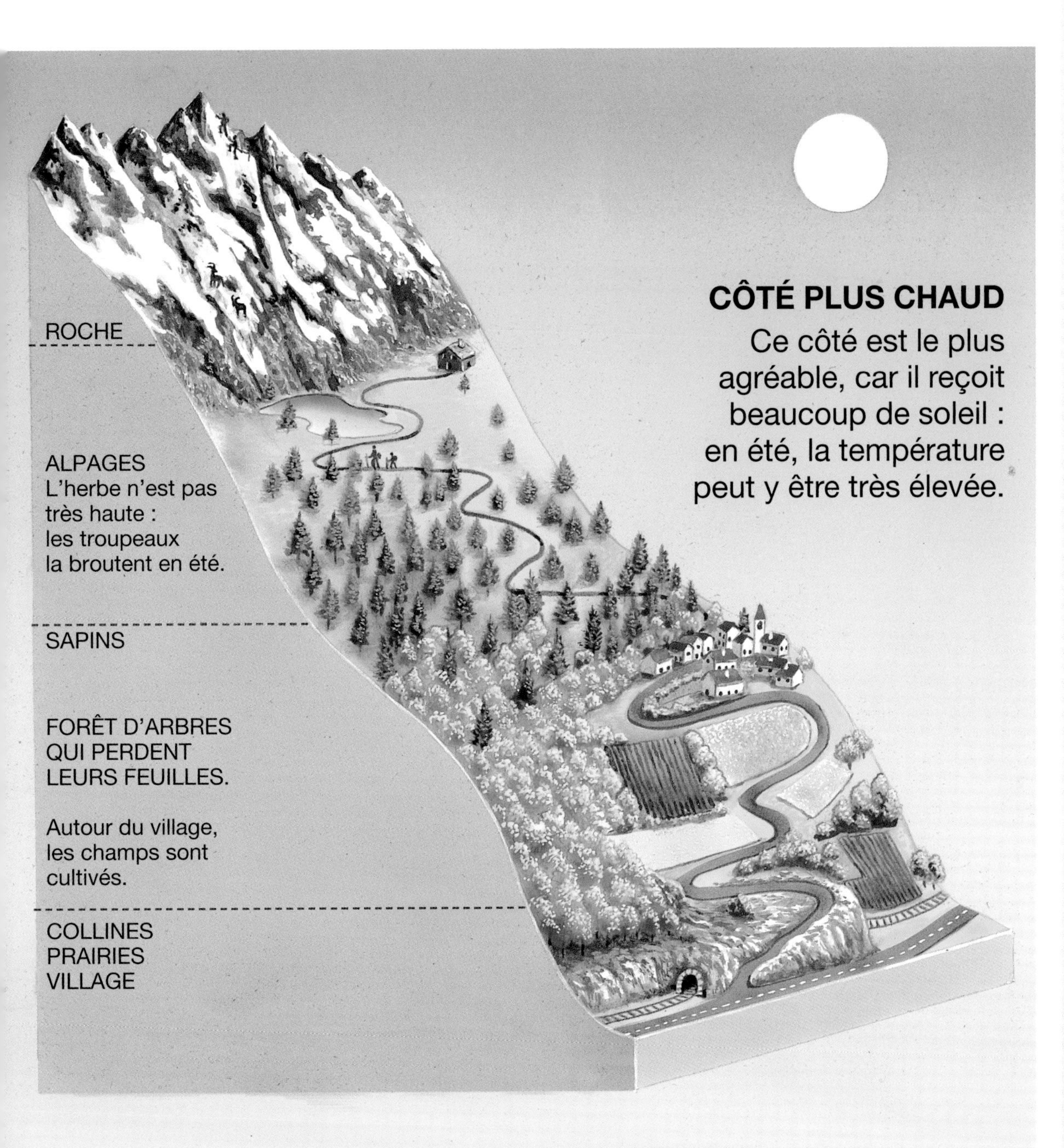

OÙ VA L'EAU DES TORRENTS ?

L'eau des torrents coule dans la vallée et se retrouve, après un voyage plus ou moins long, dans la mer.

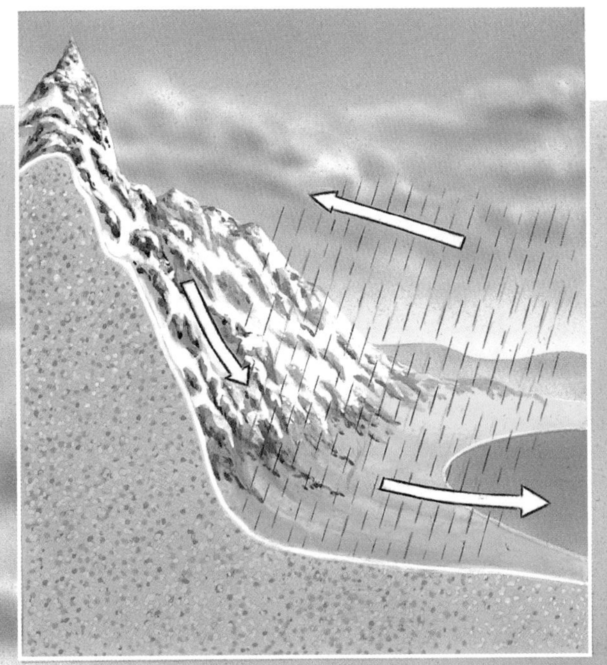

Quand la montagne est trop haute, les nuages s'accumulent dans la vallée : les pluies sont très abondantes et peuvent entraîner des inondations.

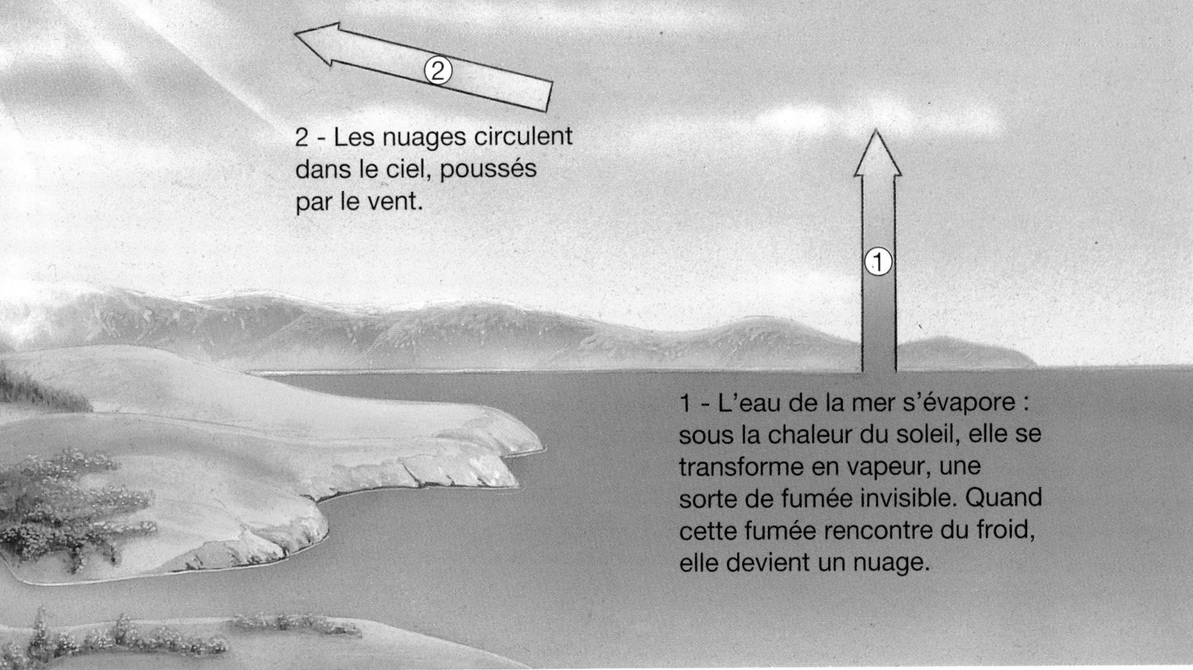

2 - Les nuages circulent dans le ciel, poussés par le vent.

1 - L'eau de la mer s'évapore : sous la chaleur du soleil, elle se transforme en vapeur, une sorte de fumée invisible. Quand cette fumée rencontre du froid, elle devient un nuage.

L'EAU DANS LA MONTAGNE

Dès que le printemps revient, la neige fond, les lacs dégèlent, des torrents et des petits ruisseaux dévalent les pentes vers la vallée.

Les lacs sont souvent d'anciens glaciers qui ont disparu. Une grande quantité d'eau qui n'a pas pu s'écouler est restée prisonnière dans le lit du glacier.

Après la fonte des neiges, l'eau est partout dans la montagne. On peut admirer de superbes cascades et des torrents qui courent entre les rochers.

LE TRAVAIL DE L'EAU ET DU VENT

L'eau, le vent et le gel transforment le paysage au fil des années. Ce sont d'abord les roches tendres qui s'effritent et disparaissent.

Aux États-Unis, l'érosion a modelé des arches superbes dans une roche rouge. Le spectacle est fantastique et attire de nombreux touristes.

Dans une autre région américaine, les gros écarts de température, associés au travail de l'eau et du vent, ont sculpté des piliers aux formes étranges.

LA PUISSANCE DE L'EAU

La force de l'eau d'un torrent qui dévale les pentes est considérable. Des débris de pierres et d'arbres sont emportés jusque dans la vallée.

En été, il fait très chaud, la neige est fondue et l'eau ne s'écoule pratiquement plus. Mais attention ! si l'orage éclate, le torrent grossit et devient dangereux.

Colonnes formées par une roche appelée calcaire, déposée par l'eau qui s'écoule goutte à goutte.

Dans certains sols en roche tendre, l'eau s'infiltre et sculpte de grandes salles, de longues galeries et des gouffres très profonds.

LE TEMPS EN MONTAGNE

Le temps change très vite. Quand on part en promenade, même s'il fait chaud, il faut emporter un pull et un vêtement imperméable.

Les orages sont fréquents et souvent très violents : le vent et la pluie se déchaînent, les sommets attirent les éclairs et le tonnerre résonne très fort.

En hiver, lorsque la neige tombe accompagnée de fortes rafales de vent, c'est la tempête. On ne voit plus rien et les arbres disparaissent sous un lourd manteau de neige.

AU FIL DES SAISONS

Regarde bien les deux dessins ci-dessous, c'est le même paysage. Essaie de trouver toutes les différences entre l'été et l'hiver.

En été, il y a des fleurs dans les prairies, les gîtes d'altitude sont ouverts. On se balade en VTT ou à pied. Les petites marmottes se dorent au soleil.

En hiver, les cascades et les lacs sont gelés, les gîtes sont en général fermés. On fait du ski. La petite hermine, marron en été, est devenue toute blanche.

LA NEIGE

Quand de gros nuages s'amoncellent et que la température descend en dessous de 0 °C, la neige va bientôt tomber.

Quelques exemples de cristaux de neige : il n'existe pas deux cristaux identiques.

Lorsque les nuages chargés de vapeur d'eau traversent des régions froides, il se forme des cristaux de glace. Ces cristaux bougent dans le nuage, et se collent entre eux pour fabriquer des flocons de neige.

En hiver, dans les sous-bois, la neige et la glace s'accumulent autour des vieilles souches d'arbres et des rochers. Le paysage est souvent féerique.

LA FONTE DES NEIGES

À la fin du printemps, dès que le soleil est plus chaud, la glace qui emprisonne l'eau des lacs et des torrents se fend.

L'eau se réchauffe peu à peu sous les chauds rayons du soleil, la glace disparaît. En plein été, l'eau en surface peut dépasser les 20 °C, alors qu'en profondeur elle reste très froide.

Il n'est pas rare d'apercevoir un torrent à travers des trous dans la couche de glace. Celle-ci n'est pas très solide, il ne faut pas marcher dessus !

L'AVALANCHE

Lorsque la neige se met à dévaler une pente à toute vitesse, c'est l'avalanche. Les causes de ce phénomène sont nombreuses.

Ce skieur est imprudent, il se trouve sur une corniche de neige qui peut se détacher à tout moment et déclencher une avalanche.

Les creux des pentes très raides sont des couloirs d'avalanches. La neige se détache du sommet et se précipite vers la vallée en emportant tout sur son passage.

LES DIFFÉRENTES SORTES D'AVALANCHES

Les avalanches ne se ressemblent pas toutes, mais elles sont toutes dangereuses. Certaines s'accompagnent d'un grondement de tonnerre.

L'avalanche de neige poudreuse est la plus fréquente, elle est précédée d'un puissant souffle de vent.

L'avalanche de plaques est constituée de neige dure qui se détache par morceaux.

L'avalanche de neige lourde et humide se déclenche souvent après une période de radoucissement.

Le passage d'un animal ou d'un skieur sur une pente raide peut provoquer une avalanche.

LES NEIGES ÉTERNELLES

Elles sont situées à haute altitude, là où les chutes de neige sont si nombreuses qu'elles forment un manteau épais qui ne fond jamais.

Se promener au milieu des neiges éternelles n'est pas permis à tout le monde : pas de piste surveillée à cette altitude. Il faut être un bon skieur et se faire accompagner d'un guide qui connaît bien l'endroit.

Les alpinistes qui gravissent les hauts sommets grimpent dans l'univers des neiges éternelles. Le vent a souvent sculpté des formes étranges qui s'offrent en spectacle aux grimpeurs.

QUELQUES COMPARAISONS

On a rassemblé sur ce dessin différentes montagnes pour pouvoir mieux comparer leur hauteur : de la petite montagne australienne au géant sommet de l'Himalaya.

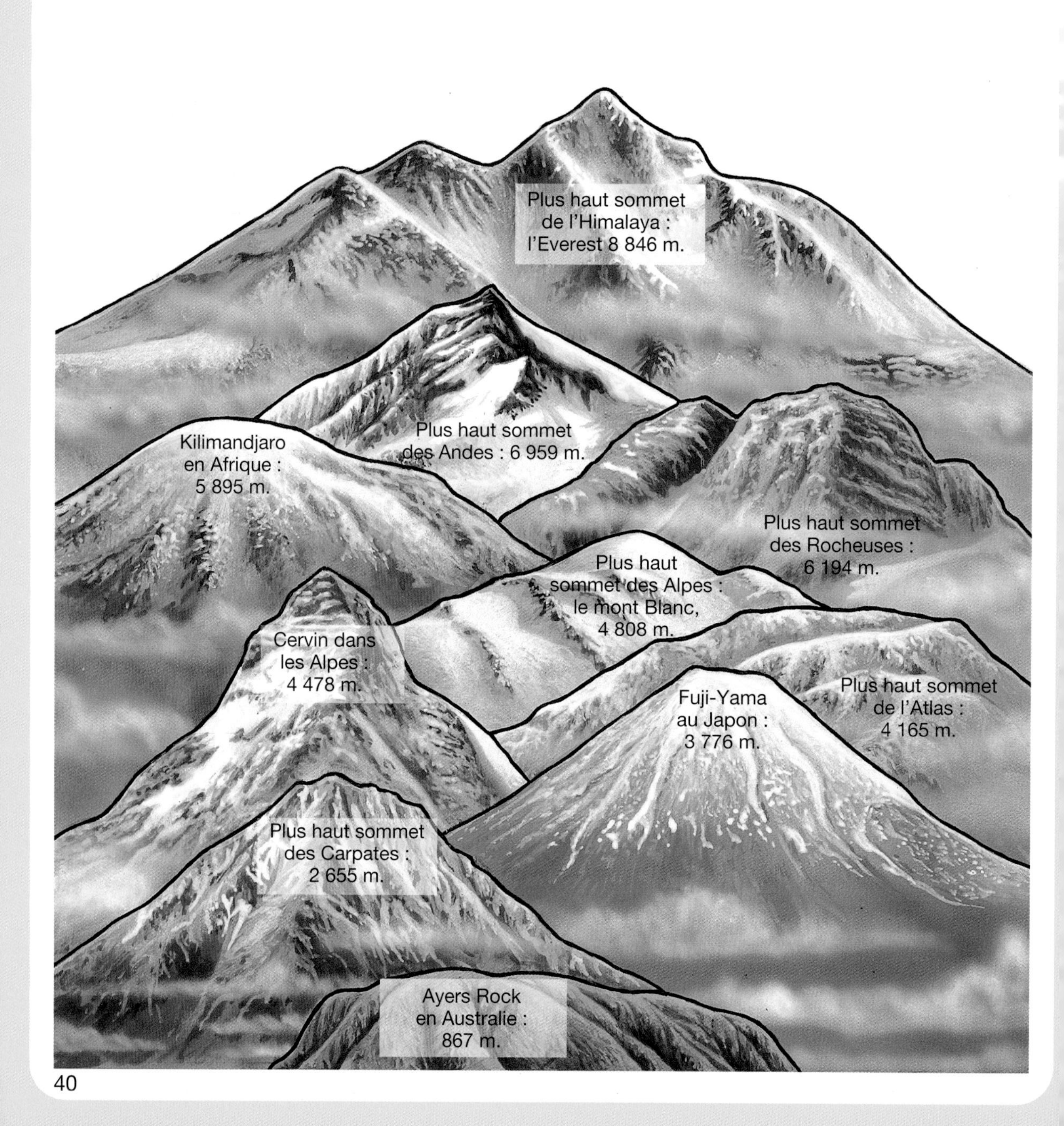

D'AUTRES MONTAGNES

Il existe des montagnes sur les autres planètes. Grâce à de puissants télescopes, on a pu les observer et les mesurer.

De nombreuses montagnes aux sommets arrondis parsèment la surface de la Lune. La plus haute fait 8 200 m. Elle a presque la même dimension que l'Everest dans l'Himalaya (voir p. 40).

Sur Mars, la planète rouge, il existe une montagne géante. Elle mesure 26 km de haut, c'est un volcan. Il est difficile d'imaginer une montagne trois fois plus haute que l'Everest !

DÉCOUVRIR LA NEIGE

La neige est froide. Elle peut être légère ou dure, se transformer en glace, ou fondre et redevenir de l'eau.

Si on observe un flocon de neige à la loupe sur un carton noir, on peut admirer des cristaux de glace.

Dans la neige qui vient juste de tomber, on s'enfonce facilement.

On peut distinguer les différentes couches de neige qui se sont accumulées.

Si on serre fort de la neige fraîche dans ses mains, on obtient une boule dure.

Grâce à la neige, le bruit est étouffé.

VIVRE À LA MONTAGNE

LA FERME EN MONTAGNE

Le rez-de-chaussée est réservé aux animaux, le premier étage à la famille du fermier et le grenier au foin.

DES MAISONS DIFFÉRENTES

Grandes ou petites, en bois ou en pierres, les habitations de montagne varient suivant les pays et les régions.

Cette maison tout en bois avec de beaux balcons fleuris est un chalet.

Ces bâtiments tout en pierres sont réservés aux animaux.

Plus petite, isolée en montagne, c'est la demeure du gardien du troupeau.

Les maisons des villages sont souvent collées les unes aux autres.

LA VIE DANS LES HAUTEURS

Autrefois, les populations qui vivaient très haut dans les montagnes étaient isolées, à l'abri des guerres qui ravageaient souvent les vallées.

Dans les Andes, il y a longtemps, des hommes, les Incas, ont construit une cité fortifiée à 2 400 m : c'est la ville de Machu Picchu.

Dans l'Himalaya, des villages sont perchés jusqu'à plus de 4 000 m. Des religieux habitent des temples édifiés sur des sites difficiles d'accès.

QUELQUES ACTIVITÉS D'AUTREFOIS

Tous les hommes ne restaient pas au village, certains descendaient dans les vallées pour travailler en ville.

Ce colporteur quittait son village pour vendre des objets dans la vallée.

Des petits ramoneurs nettoyaient les conduits de cheminée.

On capturait les ours pour les montrer sur les places publiques.

Le travail de l'osier occupait les froides journées d'hiver.

En été, le ramassage du foin constituait une activité importante. L'herbe était la seule nourriture pour le bétail pendant l'hiver.

Il fallait faucher l'herbe, la laisser sécher, puis la transporter et la stocker à l'abri dans le grenier ou dans la grange.

Parfois, on descendait le foin à dos d'homme.

La glace qui était servie aux touristes provenait des glaciers.

LA VIE AU VILLAGE AUTREFOIS

Pendant les soirées d'hiver, les villageois se retrouvaient chez l'un d'entre eux pour la veillée et ils se racontaient des histoires.

En hiver, le facteur effectuait ses tournées à skis.

La route était dégagée à l'aide d'un engin en bois tiré par des chevaux.

De nombreux villages avaient un moulin à eau pour moudre le blé.

En été, tout le monde participait aux moissons.

LES FORESTIERS AUTREFOIS

Le travail dans la forêt durait tout l'hiver. Les bûcherons s'installaient sur place dans des cabanes en bois.

Les arbres étaient abattus à la hache et découpés avec des scies.

Le bois coupé était chargé sur des charrettes tirées par des chevaux.

Sur les pentes raides, il fallait être costaud pour retenir le traîneau.

Les femmes transportaient les fagots sur leur dos jusque dans la vallée.

LES BÛCHERONS D'AUJOURD'HUI

Le travail est moins fatigant qu'autrefois : des machines perfectionnées remplacent les anciens outils et les bras des hommes.

Le tronc est sectionné grâce à une tronçonneuse.

Ce petit robot enlève l'écorce et coupe les branches.

Cet engin découpe le tronc en morceaux.

Un camion équipé d'une grue ramasse et transporte le bois.

LA VIE DANS LA MONTAGNE DE NOS JOURS

Si dans certaines montagnes on vit encore comme autrefois, dans d'autres, les activités ont changé avec le développement du tourisme.

De nombreux villages se sont équipés pour recevoir les skieurs.

Les agriculteurs sont souvent moniteurs de ski pendant l'hiver.

Des grandes stations de ski ont surgi un peu partout.

D'anciennes bergeries sont devenues des restaurants d'altitude.

LES VALLÉES CHANGENT

Aujourd'hui, les vallées ne sont plus isolées : des voies de chemin de fer, des routes ou des autoroutes les traversent.

Les villages dans les vallées sont devenus de vraies villes et de nombreuses industries se sont installées, utilisant la main d'œuvre locale.
Certaines usines utilisent l'énergie produite par l'eau pour faire tourner leurs machines ; d'autres transforment le bois, qui est une ressource importante.

D'ANCIENS MÉTIERS

Dans les villages de montagne, on rencontre très souvent des artisans : ce sont des gens qui exercent un métier avec leurs mains.

Le potier fabrique de jolis récipients en terre cuite.

Les jouets en bois sont la spécialité de certaines régions.

De nombreux villageois travaillent le bois. Cette activité les occupe pendant les longs mois d'hiver.

DANS LES ALPAGES

Au printemps, les animaux montent dans les prés en altitude. Autrefois, ce voyage se faisait à pied, maintenant, c'est souvent en camion.

Les moutons sont marqués avant le grand départ pour qu'on les reconnaisse plus facilement.

La vache qui mène le troupeau est souvent décorée et porte une plus grosse cloche.

Le berger surveille son troupeau, aide les petits à naître, soigne les malades, trait les bêtes deux fois par jour et fabrique des fromages. Quel travail !

LA TRAITE EN MONTAGNE

Les vaches se promènent un peu partout à la recherche d'herbe tendre, mais à l'heure de la traite, elles se rassemblent toutes très vite.

Quand les alpages sont facilement accessibles, on utilise des stations de traite qui suivent le déplacement des troupeaux.

Certains éleveurs continuent à traire à la main.

Les bidons de lait sont descendus rapidement dans la vallée.

LE FROMAGE

Depuis quelque années, des jeunes se sont installés en montagne et ont relancé des produits régionaux, comme les charcuteries et les fromages.

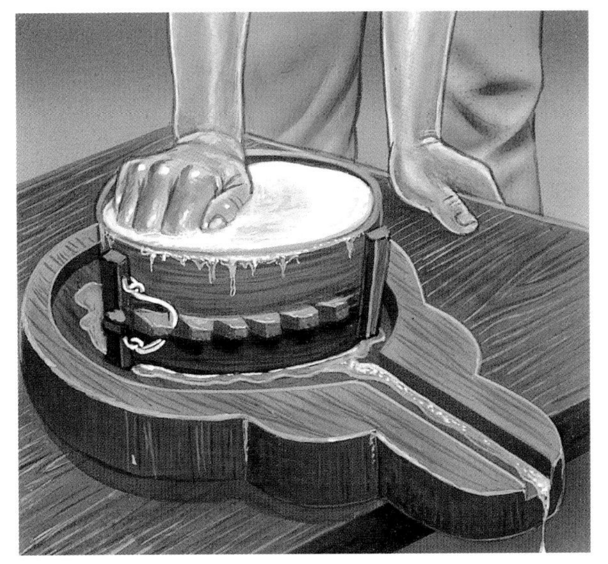

Depuis toujours, sont fabriqués en montagne des fromages à base de lait de vache, de chèvre ou de brebis. Dans certaines régions, ceux confectionnés en altitude sont descendus au village à dos d'âne.

Dans les vallées, les fromages sont fabriqués en laiterie.

Certains d'entre eux doivent vieillir dans des caves.

UN POIL PRÉCIEUX

Après l'hiver, les moutons et certaines chèvres sont tondus, car leurs longs poils vont donner de la laine.

La chèvre angora est originaire de l'Himalaya. Son poil, appelé mohair, est très recherché. Plus la chèvre est jeune, plus son poil est fin et beau.

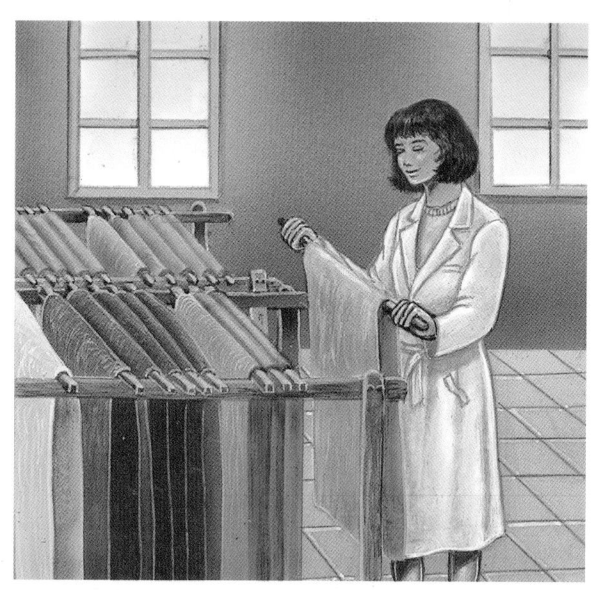

On plonge le mohair dans de l'eau savonneuse pour le débarrasser de ses impuretés. La laine est ensuite teinte dans de belles couleurs.

DES ESCALIERS GÉANTS

Pour cultiver des champs le long des pentes, on aménage des terrasses : ce sont de petites bandes de terre à peu près plates.

Au fil des ans, les paysans des montagnes d'Asie ont perfectionné les terrasses, afin d'obtenir des terrains capables de retenir l'eau indispensable à la culture du riz.

Dans les montagnes, les champs en terrasses montent parfois très haut. Les produits cultivés sont descendus dans les vallées à l'aide de grands paniers. Des animaux sont aussi utilisés pour effectuer ces travaux pénibles.

LA VIE DANS L'HIMALAYA

Le mode de vie dans les hauts villages de l'Himalaya n'a pas évolué : les travaux sont toujours faits à la main et tout est porté à dos d'homme.

Les paysans des vallées montent avec des denrées, tandis que d'autres descendent de leur village. Les rencontres ont lieu une fois par semaine. On échange du maïs contre des pommes de terre, du riz contre du sel...

Quand quelqu'un est malade, il faut le descendre à pied dans la vallée. Transporté sur une chaise, il peut voyager cinq ou six jours avant d'arriver dans un hôpital. En cas d'urgence, il n'y a malheureusement pas d'hélicoptère pour aller plus vite !

LA VIE DANS LES ANDES

Les champs sont cultivés jusqu'à très haute altitude. Les maisons sont souvent en briques de terre avec un toit en paille.

Les paysans font pousser des pommes de terre sur les versants.

Sur les hauts plateaux, on élève des moutons, des lamas et des vigognes.

Les gens sont très pauvres et les travaux sont exécutés sans machine.

De vieux camions transportent les hommes et les marchandises.

LE LAC TITICACA

C'est le lac d'eau douce le plus haut du monde. Il est situé dans les Andes à 3 812 m.

Il est formé de deux lacs réunis entre eux par un passage étroit. Parsemé d'îles, il abrite de nombreuses espèces de poissons et des grenouilles géantes de plus de 50 cm de long.

Les barques y sont traditionnellement fabriquées en roseaux. Elles ont la même forme depuis des milliers d'années. Près des berges, les pêcheurs fument leurs poissons.

LES ROUTES DE MONTAGNE

Pour faire passer les diligences, puis plus tard les voitures, les hommes ont construit des routes le long des pentes.

Suspendu dans le vide, l'ouvrier plaçait une barre de dynamite pour faire sauter la roche.

Les débris étaient dégagés à la pioche et à la pelle. Les travaux étaient pénibles et très longs.

Il n'y avait pas de machines pour percer la roche, tout était fait à la main. La création d'une route durait des dizaines d'années : il fallait creuser des tunnels et construire des ponts.

L'EAU DOMPTÉE PAR L'HOMME

La force de l'eau des torrents est considérable et, de tout temps, les hommes ont su se servir de cette énergie.

On a utilisé très longtemps l'eau pour actionner les roues des moulins et des barattes, qui étaient des sortes de tonneaux (ci-contre) que l'on remplissait de crème et que l'on faisait tourner pour obtenir du beurre.

Dans toutes les montagnes, on a construit des barrages pour retenir l'eau, afin de l'envoyer ensuite dans des turbines qui produisent de l'électricité. Le plus grand barrage du monde est réalisé en ce moment en Chine.

LES PONTS

Pour circuler en montagne, franchir les torrents, enjamber les gorges, faire passer les routes et les voies ferrées, on a construit des ponts.

Pont suspendu constitué de cordes et de rondins.

Pont tout en bois, souvent emporté lors de la montée des eaux.

Pont tout en pierres permettant le passage des voitures et des piétons.

Pont en fer, soutenu par des piliers en pierres, assurant le passage des trains.

LA MONTAGNE AU SERVICE DES SCIENTIFIQUES

A haute altitude, le ciel est souvent dégagé et le soleil brille durant une bonne partie de l'année.

Dans les Pyrénées, en France, on a installé un grand four solaire. Grâce à son miroir qui concentre la chaleur du soleil, on obtient des températures très élevées, capables de faire fondre tous les matériaux existant sur Terre. Ce four abrite un laboratoire de recherche : on y étudie les matières du futur.

Au Chili, sur un sommet des Andes, on construit des télescopes géants très puissants pour observer le ciel. Les scientifiques ont choisi cet emplacement, car il y fait beau pratiquement toute l'année.

UN PEU D'HISTOIRE

Les Alpes n'ont pas été un obstacle face aux envahisseurs : des armées entières les ont traversées.

Au temps des Romains et des Gaulois, Hannibal, un chef guerrier venu d'Afrique pour envahir l'Italie, franchit les Alpes avec son armée et trente-sept éléphants. Cette folle aventure fit des milliers de morts, et seuls sept éléphants survécurent.

Les Alpes sont le passage obligé entre la France et l'Italie. De nombreux guerriers en ont franchi les cols, comme l'empereur Charlemagne en l'an 800.

LES DÉBUTS DU SKI

Si aujourd'hui des milliers de skieurs se retrouvent chaque année sur les pistes, autrefois seuls les habitants des montagnes chaussaient les skis.

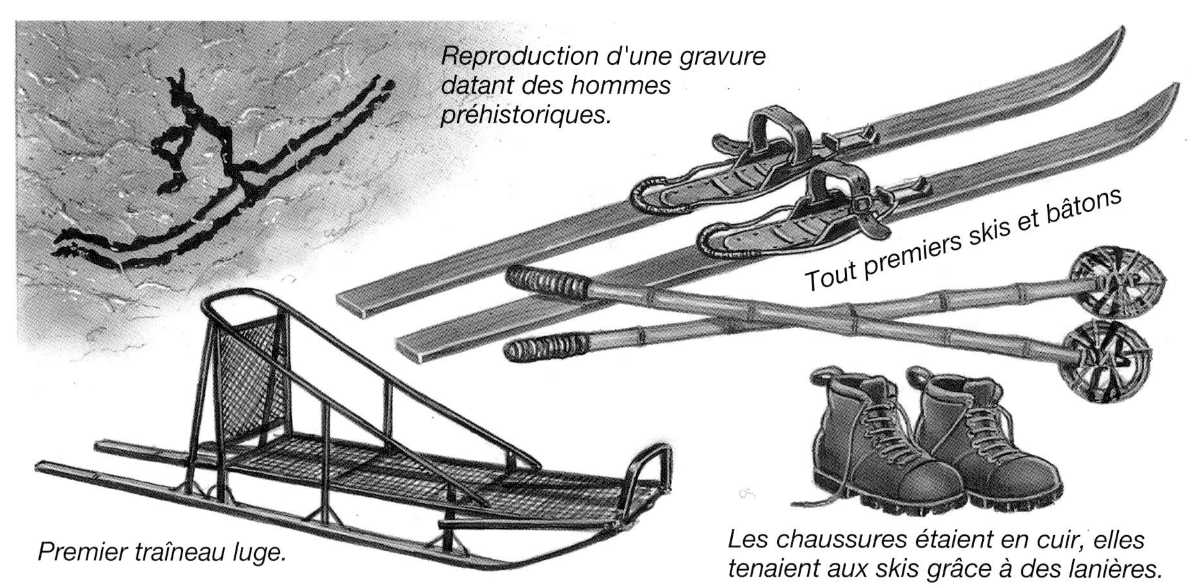
Reproduction d'une gravure datant des hommes préhistoriques.

Tout premiers skis et bâtons

Premier traîneau luge.

Les chaussures étaient en cuir, elles tenaient aux skis grâce à des lanières.

Les hommes préhistoriques qui vivaient dans les pays recouverts de neige pendant des mois se déplaçaient sur de longues semelles en bois : ce sont les ancêtres des skis.

Les premiers skieurs utilisaient un grand bâton pour garder leur équilibre et changer de direction. Les femmes ne portaient pas de pantalons.

LES PREMIÈRES DESCENTES

Au début du ski, il n'y avait pas de remonte-pente : on montait à pied avec les skis sur l'épaule.

Il a fallu tout inventer pour tenir en équilibre sur les skis : les façons de tourner, celles de s'arrêter et de remonter les pentes.

Voici quelques activités que l'on peut pratiquer en hiver à la montagne : 1 - Motoneige. 2 - Ski de fond. 3 - Surf. 4 - Ski alpin. 5 - Escalade sur glace. 6 - Ski-voile. 7 - Parapente.

LES VACANCES À LA NEIGE

Tout autour de la station de sports d'hiver sont aménagées des pistes et installées des remontées mécaniques.

Pour monter vers les sommets, plusieurs remontées mécaniques sont proposées : 8 - Télésiège. 9 - Téléphérique. 10 - Téléski.

TOUJOURS PLUS VITE, TOUJOURS PLUS HAUT !

Tous les champions de ski s'affrontent régulièrement au cours de grandes compétitions : championnats, coupe du monde, jeux Olympiques.

LE SKI DE FOND

Les chaussures ne sont fixées qu'à l'avant sur des skis longs, légers et étroits.

LE SAUT À SKIS

Le saut s'effectue à partir d'un tremplin, sans bâtons, sur des skis larges et longs.

BOBSLEIGH À 4

Les bobeurs poussent leur engin, puis sautent en marche et filent dans un couloir de glace.

LE BIATHLON

Cette discipline combine le ski de fond au tir à la carabine, qui s'exécute couché et debout.

Il faut beaucoup de monde pour préparer la piste avant une compétition : on choisit d'abord le tracé, ensuite on plante des piquets, on place des filets aux endroits dangereux et on tasse la neige.

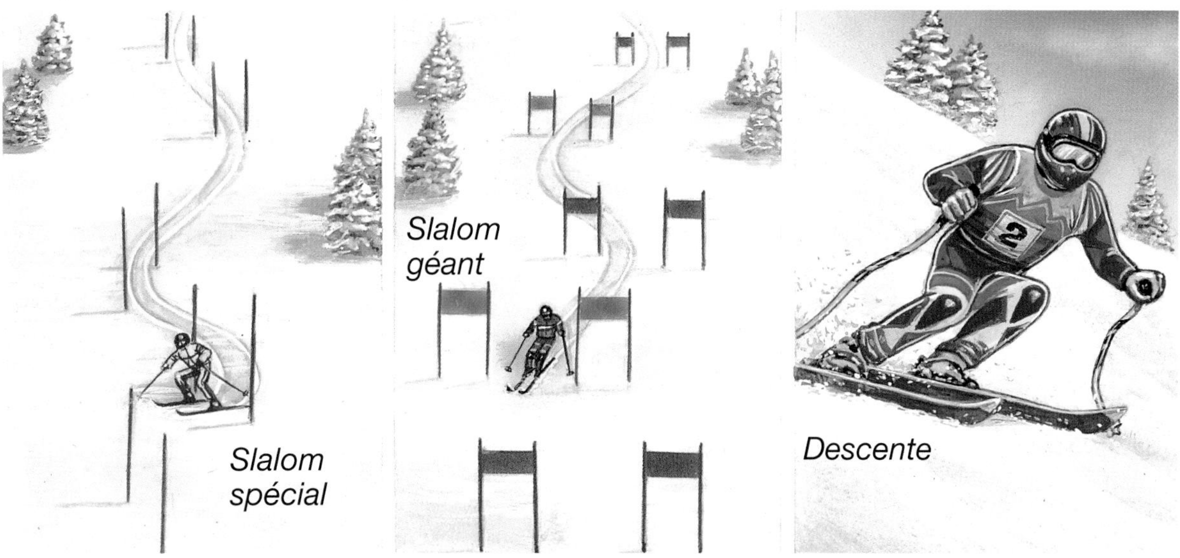

Le skieur doit slalomer entre les piquets. S'il en rate un, il est disqualifié. Les épreuves se jouent en deux manches.

Les skieurs dévalent des pentes raides à plus de 100 km/h.

Le ski acrobatique est une nouvelle discipline qui nécessite un énorme entraînement. Il combine des épreuves de saut, de bosses et de ballet.

LES BOSSES

La piste de bosses est courte et très raide. Le skieur descend le plus vite possible en faisant des acrobaties.

LE SAUT ARTISTIQUE

Le skieur s'élance sur un tremplin et s'élève à plus de 10 m, réalisant des figures avant de retomber sur ses skis.

LE BALLET

Les skieurs exécutent, en musique, des pas de danse et des acrobaties, sur des skis pas très longs.

PATINAGE DE VITESSE

Les patineurs ont des combinaisons très moulantes. Les épreuves les plus longues se déroulent sur 10 km.

BATTRE DES RECORDS

Certains skieurs réalisent des exploits : ils dévalent les pentes plus vite qu'une voiture de course ou skient sur des parois très raides.

Le ski de vitesse se pratique sur une piste de 1 km. Le skieur est chronométré sur 20 m, à l'endroit où il va le plus vite. Le record actuel est de 245 km/h.

Un sportif a descendu à skis la pente la plus raide du monde, située dans le massif du Mont-Blanc.

Le skieur le plus haut du monde a descendu l'Everest depuis le sommet sud, à 8 770 m.

LES DÉBUTS DE L'ALPINISME

Les montagnes ont toujours attiré les hommes, et les premiers qui ont osé partir à l'assaut des sommets étaient considérés comme des héros.

Dessin réalisé à partir d'un document du Musée alpin de Chamonix.

Rien n'arrêtait les intrépides pionniers de l'alpinisme. Ils n'avaient pas les équipements qui existent aujourd'hui, leurs vêtements ne les isolaient pas du froid, leurs chaussures n'étaient pas adaptées. Malgré cela, ils ont réussi de fabuleux exploits. Les femmes grimpaient aussi, malgré leurs tenues qui n'étaient vraiment pas pratiques pour escalader.

POUR LES DÉBUTANTS

Des stations de sports d'hiver proposent des clubs pour les tout-petits, afin de leur faire découvrir le ski tout en s'amusant.

Skis aux pieds et sans bâtons, les enfants marchent, tournent, se baissent, jouent et finissent par glisser sans s'en rendre compte.

On apprend le chasse-neige pour s'arrêter et tourner.

On passe un test pour vérifier ses connaissances.

CONSEILS POUR SKIER EN SÉCURITÉ

Glisser, virer, filer sur les pentes enneigées, c'est très agréable, mais il faut être bien équipé et suivre quelques règles de prudence.

Avant de partir, vérifier la météo et s'assurer de l'ouverture des pistes.

Il faut toujours mettre une crème protectrice sur le visage .

Les plus petits doivent porter un casque pour se protéger.

Skier sur des pistes non balisées peut être très dangereux.

BIEN SE CONDUIRE

Sur les pistes, il faut faire attention aux autres et être capable de s'arrêter à tout moment pour éviter un obstacle.

Pour dépasser un skieur, on ne doit pas s'en approcher de trop près.

À un croisement de pistes, on vérifie qu'aucun skieur n'arrive avant de s'engager.

Pour remonter une piste, on marche sur les bords, afin de ne pas gêner les autres skieurs.

On ne s'arrête pas dans des passages étroits sans visibilité. Si on tombe, il faut libérer la piste rapidement.

Remerciements B. Foucher, chef des Pistes, Chamonix.

APRÈS LE SKI

Bonhomme de neige, construction d'igloo, glissade en luge, bataille de boules de neige, petits tours sur la patinoire : les activités ne manquent pas !

Avant de te lancer sur une pente avec ta luge ou ton sac en plastique, vérifie qu'il y a assez de neige, et qu'aucun caillou ou souche d'arbre ne dépasse.

L'ENTRETIEN DES PISTES

Dès la fermeture des pistes, les pisteurs entrent en action avec leurs engins pour remettre le domaine skiable en état.

Deux pisteurs ferment une piste qui a été coupée par une avalanche.

La dameuse tasse la neige fraîche et élimine les traces laissées par les skis.

Les engins de déneigement évacuent la neige pour ouvrir les pistes.

Quand la neige est insuffisante, on utilise des canons à neige.

Dessins exécutés d'après photos fournies par le PGHM de Chamonix.

Toutes les pistes sont balisées par des piquets munis d'un disque de couleur qui indique le degré de difficulté. Vert : très facile ; bleu : facile ; rouge : assez difficile ; noir : très difficile.

Dans les passages dangereux, des filets sont posés pour protéger les skieurs.

La température de la neige est relevée régulièrement pour permettre de connaître la qualité du manteau neigeux.

DÉCLENCHEMENT DES AVALANCHES

En montagne, le matin, on entend parfois des explosions : ce sont les pisteurs qui provoquent des avalanches pour protéger les pistes.

Remerciements B. Foucher, chef des Pistes, Chamonix.

Régulièrement, les pisteurs sillonnent le domaine skiable pour vérifier l'état de la neige.

Si une avalanche menace une piste balisée, on la déclenche en faisant exploser une grenade.

Quand la plaque de neige à faire sauter n'est pas facilement accessible ou s'il y a du danger pour les pisteurs, les grenades sont lancées depuis un hélicoptère.

LES SECOURS EN MONTAGNE

Si on est témoin d'un accident, il faut alerter les secours en prévenant les personnes qui surveillent les remontées mécaniques.

Pour rechercher des personnes sous une avalanche, on utilise souvent des chiens qui, grâce à leur flair, arrivent à les retrouver rapidement.

La victime est réchauffée et transportée sur une barquette.

Certains blessés sont évacués par hélicoptère.

Remerciements B. Foucher, chef des Pistes, Chamonix.

Dessins exécutés d'après photos fournies par le PGHM de Chamonix.

Quand des alpinistes sont bloqués sur une paroi difficilement accessible, leur sauvetage est long. Les secouristes doivent s'assurer avec des cordes, afin de les rejoindre en toute sécurité.

Le blessé, bien attaché sur une civière, est hissé dans un hélicoptère.

Quand un skieur glisse au fond d'une crevasse, son sauvetage est difficile.

1 - Glissade à toute vitesse en luge sur un circuit.
2 - Partie de pêche dans les torrents. 3 - Balade en VTT.
4 - Randonnée. 5 - Promenade à cheval.

LES VACANCES D'ÉTÉ

En été, la montagne devient un très vaste terrain de jeux, pour le plaisir des grands et des petits.

6 - Rafting sur des eaux bouillonnantes. 7 - Descente des torrents, réservée aux plus grands, connue sous le nom de canyoning.
8 - Descente de cascade avec des cordes. 9 - Parapente.

ESCALADER

Grimper tout en haut des sommets est interdit aux enfants, mais ils peuvent s'initier sur des murs d'escalade et dans des clubs.

Le mur permet de se familiariser avec les techniques d'escalade. Il existe aussi pour les enfants des circuits aménagés sur des rochers.

Après avoir acquis un bon niveau de technique, on peut s'entraîner sur des falaises, avec un moniteur et un matériel bien adapté. Les professionnels, eux, gravissent des parois seuls, mais pour les amateurs, la présence d'un guide est recommandée.

QUELQUES MANIFESTATIONS

En été, les villages de montagne proposent de nombreuses activités liées à la nature et organisent des fêtes.

Le Tour de France cycliste attire chaque année beaucoup de monde.

Fête du bois, en souvenir du temps où la forêt faisait vivre les villageois.

Dans les Andes, de grands pèlerinages religieux sont organisés.

Spectaculaire combat de vaches : les crânes se heurtent, les cornes se croisent.

LES PROMENADES

Pour découvrir les beautés de la montagne, rien de tel qu'une bonne marche à pied.

Chaussé de raquettes, on marche dans la neige sans s'enfoncer.

Pour ne pas se perdre, il faut se promener sur les chemins balisés.

Pour goûter et se reposer, une halte près d'un lac est rafraîchissante.

Le sac à dos doit contenir : nourriture, eau, vêtements et trousse de secours.

QUELQUES PRÉCAUTIONS À PRENDRE

Une simple promenade peut très mal se terminer si on ne prend pas la peine de suivre quelques règles de sécurité.

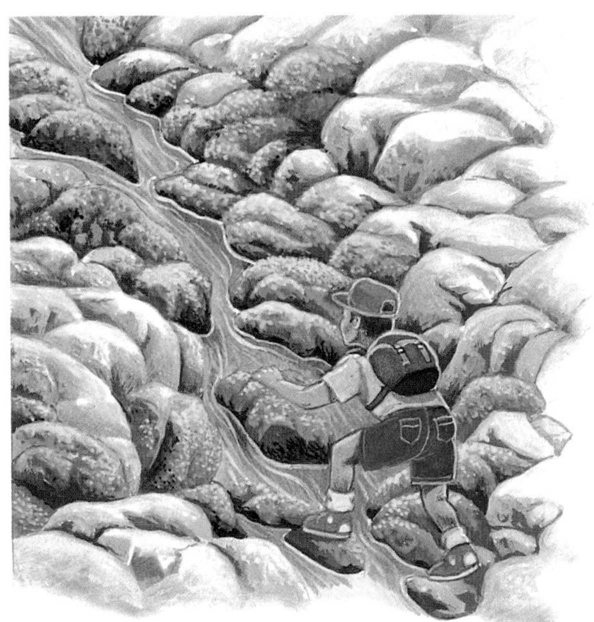

Quand on remonte un torrent, s'assurer qu'aucun orage ne menace.

En cas d'orage, s'arrêter loin des rochers et des arbres.

Les pentes herbeuses sont très glissantes, surtout après la pluie.

Attention de ne pas faire rouler des pierres sur ceux qui sont derrière !

DÉCOUVRIR LA MONTAGNE EN TRAIN

Des trains sillonnent les massifs montagneux, quelques-uns promènent des touristes, d'autres relient entre eux les villages isolés.

Dans les montagnes des Andes, des petits trains transportent des voyageurs et des marchandises d'un village à l'autre. C'est dans cette région que se trouve la ligne de chemin de fer la plus haute du monde : elle grimpe jusqu'à 4 818 m.

Dans les Alpes, de nombreux trains font découvrir de superbes paysages.

Certains trains ont un toit transparent pour mieux admirer le panorama.

FLEURS ET ANIMAUX

DES ROCHES EN FLEURS

En passant au-dessus des parois rocheuses en télésiège, on peut apercevoir des taches de couleur jaune ou rouge : ce sont des lichens.

Ces plantes minuscules sécrètent des produits qui ramollissent la surface de la roche pour se fabriquer un sol dans lequel elles s'accrochent.

DES FLEURS UN PEU PARTOUT

Malgré des conditions difficiles, les fleurs arrivent à pousser en altitude. Elles s'adaptent pour survivre.

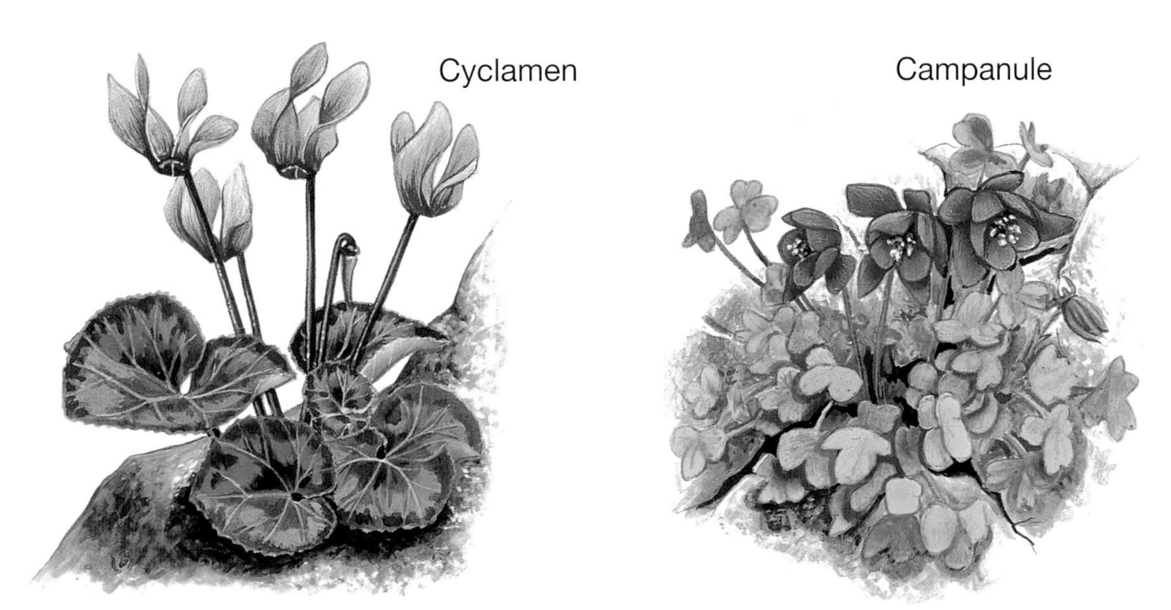

Certaines plantes ont des racines très profondes qui s'infiltrent dans les fissures des rochers pour chercher de la nourriture dans la terre.

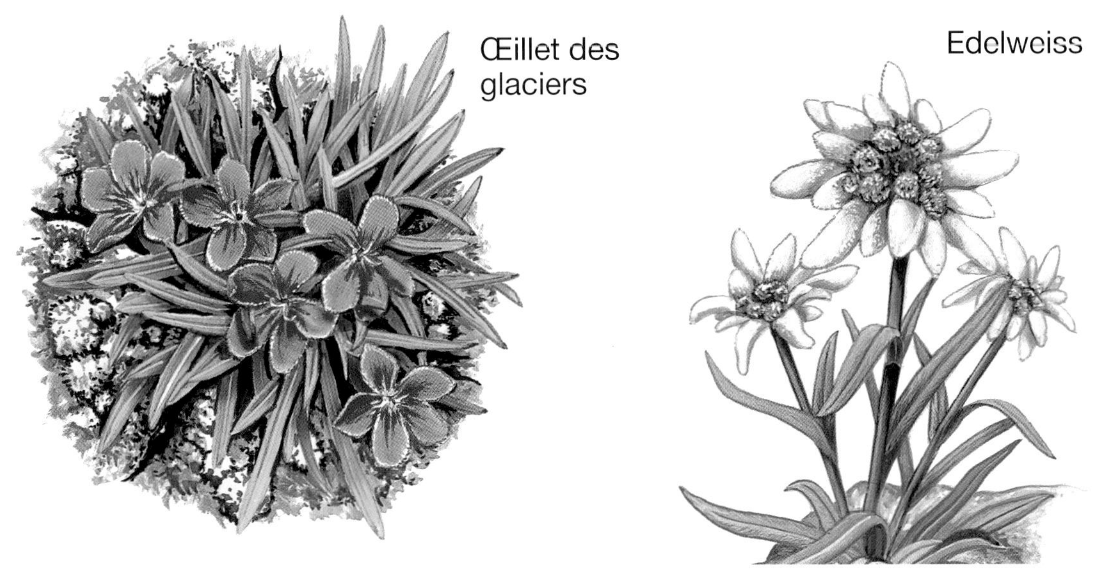

D'autres se serrent les unes contre les autres pour avoir plus chaud ou se couvrent de duvet comme l'edelweiss.

DES PRAIRIES MULTICOLORES

Après la fonte des neiges, de nombreux versants de montagne offrent un très beau spectacle : ils se couvrent de fleurs multicolores.

C'est en juillet et en août que la montagne est la plus belle. Dans cette prairie ne poussent que des renoncules, blanches au cœur jaune.

Cette superbe prairie sous le ciel bleu est un vrai feu d'artifice de couleurs, de formes et de parfums.

QUELQUES TRÈS JOLIES FLEURS

Au cours d'une promenade en montagne, tu rencontreras sûrement une des jolies fleurs dessinées ci-dessous.

RESPECTER LES FLEURS

En montagne, il ne faut pas suivre l'exemple de ces deux enfants dans la prairie : on ne marche pas sur les fleurs et on ne les cueille pas, on les admire.

LES ARBRES EN MONTAGNE

La plupart des arbres des forêts montagnardes sont des conifères : leurs feuilles sont des aiguilles et, en général, ils restent toujours verts.

Voici les majestueux épicéas. Ce sont des arbres que l'on rencontre surtout sur les versants froids, car ils ne sont pas frileux !
Ils sont robustes et capables de faire barrage aux avalanches.
L'épicéa, c'est aussi l'arbre de Noël.

LA FORÊT EN HIVER

L'hiver est froid en montagne et la forêt, souvent sombre, est illuminée par le givre et la neige.

Dans cette forêt, située en bas de la montagne, les arbres ont perdu leurs feuilles et les branches dénudées s'habillent de givre.

En hiver, le brouillard reste la plupart du temps dans la vallée et l'air est très humide. La neige s'accumule sur les branches.

UNE GRANDE VARIÉTÉ D'ARBRES

Les forêts des montagnes situées dans les pays chauds abritent souvent des arbres extraordinaires.

En Amérique du Nord poussent des arbres géants, les séquoias, qui sont parmi les plus vieux arbres du monde. Leur tronc est très gros.

En Afrique, les pentes des montagnes sont recouvertes par des milliers de plantes serrées les unes contre les autres. Les arbres luttent pour avoir une petite place et surtout de la lumière.

LUTTER CONTRE LE VENT

En montagne, les arbres doivent s'adapter à des vents souvent violents, au poids de la neige sur leurs branches et à la faible épaisseur du sol.

En regardant ces arbres, on sait tout de suite d'où vient le vent. À force de plier sous les rafales violentes, les arbres finissent par conserver leur forme courbée.

Cet arbre qui pousse en altitude s'est retrouvé coincé par un éboulis de rochers. Il s'est adapté et quelques-unes de ses branches abîmées ont continué à pousser en rampant au milieu des pierres.

LES MOUSSES ET LES FOUGÈRES

Dans les sous-bois humides, le long des torrents, les mousses et les fougères se sont installées.

En montagne, les sources jaillissent un peu partout et coulent au milieu des rochers recouverts de mousse.

Dans les sous-bois, la mousse envahit les vieux troncs qui abritent quantité d'insectes et de champignons au printemps et en automne.

DES PETITS FRUITS

Dans les forêts ou dans les prairies poussent des arbustes et des buissons nains qui produisent de petits fruits rouges ou noirs.

Attention, certains fruits ne sont pas bons pour la santé ! Les myrtilles, elles, peuvent être dégustées sans crainte. Ce sont de petites boules bleu-noir, pleines de jus sucré. Si tu veux en rapporter dans la vallée, transporte-les dans un panier et non dans un sac en plastique.

Les myrtilles se consomment nature ou avec du sucre et de la crème fraîche si tu es gourmand, mais aussi en tarte ou en confiture. Attention, le jus de myrtille tache !

DES OISEAUX DE MONTAGNES

En altitude, on peut apercevoir de gros oiseaux, appelés rapaces. Ils ont une vue perçante, des pattes aux longues griffes et un bec crochu.

Le vautour est l'un des plus grands rapaces. Il est reconnaissable à son cou et à sa tête dépourvus de plumes. Il niche dans les creux des rochers ou dans les arbres.
Le vautour peut planer très longtemps dans les airs avant de foncer sur sa proie.

Le condor est un grand vautour qui vit dans les montagnes d'Amérique du Sud. Mais son espèce est menacée de disparition.

Cachés dans les prairies ou les forêts, de nombreux oiseaux vivent en montagne. En hiver, certains partent vers des régions plus chaudes.

Le lagopède creuse la neige pour s'y cacher.

La perdrix bartavelle a un épais plumage qui la protège du vent.

La chouette harfang a les pattes bien au chaud sous ses plumes !

La bergeronnette des ruisseaux vit au bord des cours d'eau.

L'aigle chasse dans la vallée, mais il habite en haut de la montagne, dans un grand nid où naissent ses petits.

Les tétras-lyres vivent dans les prairies. Pour impressionner leurs adversaires, ils se mettent à sautiller, queue déployée.

LES MARMOTTES

On peut les apercevoir dès que le printemps revient. L'hiver, elles dorment au fond de leur terrier, bien au chaud sur un matelas d'herbe.

Avant de sortir de leur terrier, les marmottes, très peureuses, vérifient qu'un rapace ne vole pas aux alentours car elles constituent son repas préféré.

Les petites marmottes s'amusent, pendant qu'un adulte guette ! Au moindre signe de danger, il se met à siffler et tout le monde court au terrier.

DES ANIMAUX À FOURRURE

Quelques animaux, comme le lièvre ou l'hermine, qui vivent dans les vallées fréquentent aussi la montagne à faible altitude.

L'hermine, blanche en hiver et marron en été, a l'air gentille, mais c'est un redoutable chasseur qui poursuit ses proies jusque dans leur terrier.

Le lièvre, gris marron en été, devient tout blanc en hiver. Il est très difficile à apercevoir mais on peut reconnaître ses empreintes sur la neige.

LES GRANDS FAUVES

Dans les montagnes d'Asie ou d'Amérique vivent de grands fauves comme les tigres, les léopards des neiges ou les pumas.

Le tigre de Sibérie vit dans les montagnes d'Asie. Il a été chassé par l'homme pour sa belle fourrure. C'est le plus grand de tous les tigres.

Le puma vit dans les montagnes d'Amérique. C'est un vrai acrobate, très agile sur les rochers. Il chasse le jour dans les prairies ou les forêts.

DE GROS CHATS SAUVAGES

Dans certaines montagnes, vivent des chats sauvages et des lynx, mais il faut beaucoup de patience pour les apercevoir.

Le chat sauvage vit seul, le plus souvent caché dans les arbres. Il a une belle queue touffue et il chasse les oiseaux et les petites bêtes à fourrure.

On reconnaît le lynx aux petits plumeaux au bout de ses oreilles. Il chasse la nuit et peut parcourir de longues distances pour attraper sa proie.

LE GRAND PANDA

C'est un animal très rare qui vit uniquement dans les montagnes de Chine, où il est protégé.

Le grand panda ne mange que des bambous. Il préfère les feuilles et les jeunes pousses bien tendres.

Le grand panda, avec sa belle fourrure blanche et noire, ressemble à un gros ours en peluche. Malheureusement, cet animal est en voie de disparition.

LES OURS

Il est très difficile d'apercevoir un ours, car ce bel animal est de plus en plus rare dans les montagnes, surtout en Europe.

Les ours sont de très bons pêcheurs. Ils apprécient beaucoup les saumons, qu'ils attrapent d'un coup de patte dans les torrents.

LES YACKS

Les yacks ressemblent à de gros bœufs avec de longs poils et de grandes cornes. Ils vivent sur les hauts plateaux de l'Himalaya.

Il en existe encore qui vivent en liberté, mais la plupart sont utilisés par les habitants des villages pour transporter de lourdes charges.

LES BOUQUETINS

Ils vivent dans presque toutes les montagnes d'Europe et d'Asie.
Ce sont de très bons grimpeurs.

Les bouquetins sont capables d'escalader de très hauts sommets. Ils adorent faire la course sur les pentes raides. Heureusement, ils n'ont pas le vertige !

Les mâles portent de plus longues cornes que les femelles. On connaît l'âge d'un bouquetin en comptant le nombre de bosses qu'il a sur ses cornes : une bosse égale une année. En altitude, le bouquetin se nourrit de lichens qu'il détache des rochers.

LES CHAMOIS

En hiver ils se cachent dans la forêt, en été ils s'amusent sur les pentes au milieu des rochers. Ce sont de vrais acrobates !

Les jeunes chamois naissent au printemps. Les mâles vivent seuls et se regroupent avec les femelles quand ils veulent faire des petits.

Le chamois n'a pas peur de se lancer dans le vide.

Glisser sur les fesses est la distraction favorite des jeunes !

LES MOUFLONS

Cousins des chamois et des bouquetins, les mouflons se différencient par leurs cornes qui s'enroulent derrière leur tête.

Les mouflons aiment les endroits près des précipices. Quand deux mâles se battent, ils se donnent des coups de tête.

Selon les pays où ils vivent, les mouflons ont des cornes un peu différentes. Ces animaux sont protégés car ils ont longtemps été la cible des chasseurs.

LES CHÈVRES BLANCHES

On les trouve en Amérique du Nord dans les Rocheuses, à haute altitude. Elles ont de longs poils blancs et de petites cornes noires.

Comme le bouquetin ou le mouflon, elles possèdent sous leurs sabots des bourrelets qui adhèrent comme des ventouses aux rochers.

LES LAMAS ET LES VIGOGNES

Ces cousins du chameau vivent dans les Andes, en Amérique du Sud. Certains sont libres tandis que d'autres sont domestiqués.

Ces vigognes sont à très haute altitude. Le manque d'oxygène ne les gêne pas. Le jour, elles paissent à un endroit et le soir, elles changent de territoire pour dormir.

Les lamas et les vigognes ont des poils longs et fins. Ils ont été domestiqués pour pouvoir être tondus, car leurs poils servent à la fabrication de vêtements. Ils sont utilisés aussi pour porter des marchandises.

LES LOUPS

Il existe encore des loups en montagne, au Canada par exemple.
Grands voyageurs, ils suivent les déplacements de leurs proies.

En général, les loups forment des meutes. Ils hurlent pour signaler leur présence aux autres animaux ou à d'autres meutes de loups, car les rencontres ne se passent pas toujours très bien.

La louve a en moyenne six petits à la fois. Ils naissent aveugles et sont sans défense. Ils restent dans la tanière quelques jours avant de sortir.

LES CERFS WAPITIS

Les vallées des montagnes Rocheuses, en Amérique du Nord, sont l'habitat de ces cerfs magnifiques. Le mâle porte de superbes bois, la femelle n'en a pas mais elle sait se défendre à coups de sabots.

LE GORILLE DES MONTAGNES

Ce gorille des montagnes africaines est menacé d'extinction à cause du déboisement, des chasseurs et des trafics organisés.

Le gorille est le plus grand, le plus fort, mais aussi le plus intelligent de tous les singes.
Il se déplace souvent à quatre pattes. Il se nourrit de plantes et de fruits.

La femelle gorille n'a qu'un petit à la fois, qu'elle allaite. Elle est environ deux fois moins grosse que le mâle.

LES SAUMONS

En montagne, les eaux froides et non polluées des torrents et des rivières abritent quelques poissons, dont les truites et les saumons.

Après avoir passé plusieurs années en mer, les saumons remontent les rivières et le torrent où ils sont nés, pour pondre. Le voyage est souvent arrêté par des obstacles : cascades ou barrages.

Quand le saumon arrive à destination, il est épuisé. Après avoir pondu, il change d'aspect, perd sa peau et, en général, meurt.

LA PRÉSENCE DES ANIMAUX

Les animaux laissent des traces de leur passage sur le sol ou sur les arbres.

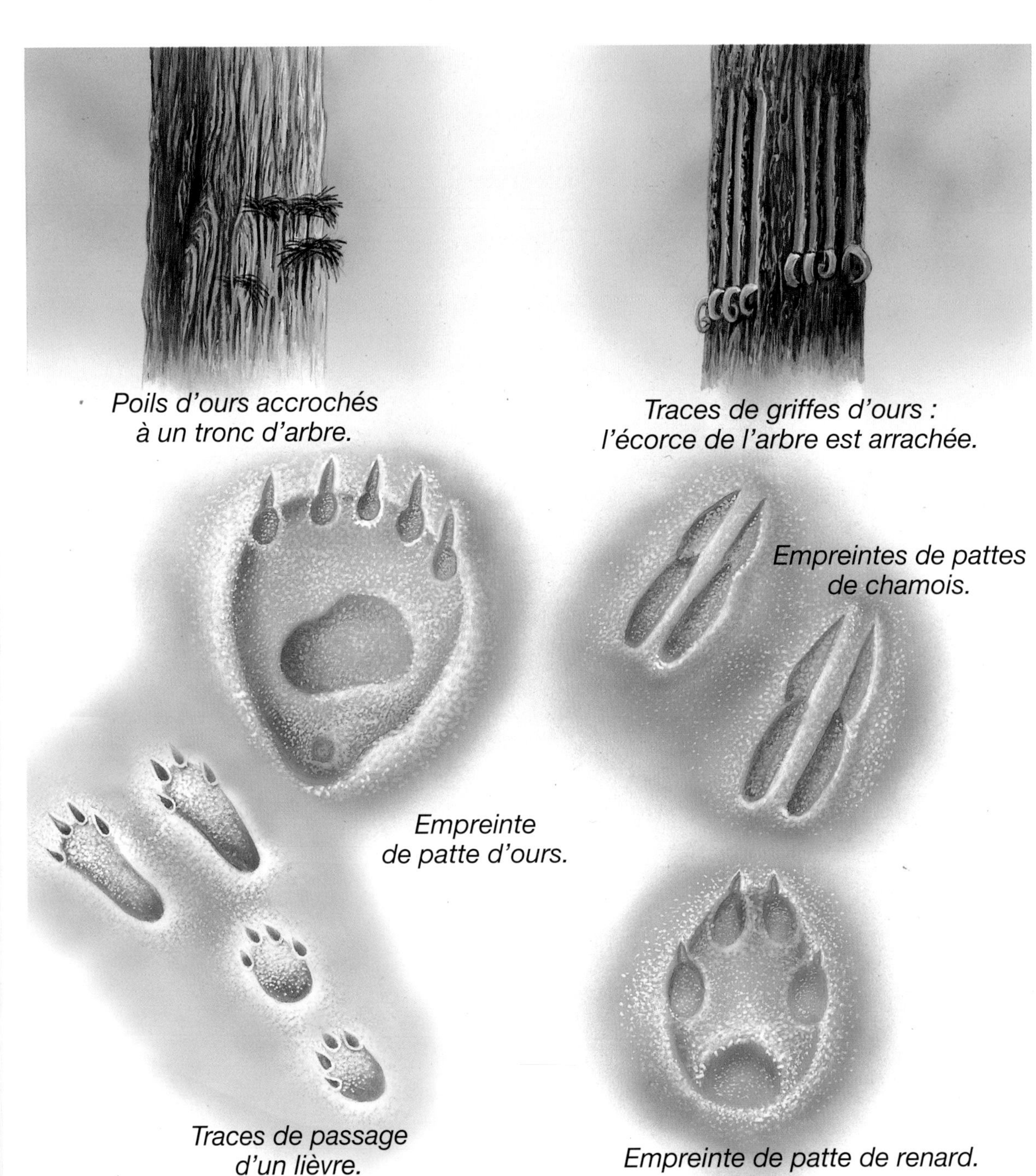

Poils d'ours accrochés à un tronc d'arbre.

Traces de griffes d'ours : l'écorce de l'arbre est arrachée.

Empreintes de pattes de chamois.

Empreinte de patte d'ours.

Traces de passage d'un lièvre.

Empreinte de patte de renard.

DE DRÔLES DE CRÉATURES

Des légendes existent sur d'étranges animaux qui vivraient dans les montagnes. On n'a aucune preuve de leur existence, mais ils font peur !

Voici quelques représentations de dahus. Comme on n'a jamais pu en attraper un, on ne sait pas bien à quoi il ressemble !

Dans les Alpes, on raconte que le dahu est une drôle de bête qui aurait des pattes plus courtes d'un côté que de l'autre. De ce fait, il ne pourrait pas faire demi-tour. Des chasses au dahu sont organisées la nuit.

Un abominable homme des neiges hanterait les pentes de l'Himalaya : le yeti. D'après les alpinistes qui l'auraient aperçu, il ressemblerait à un gorille avec des pieds géants ! En Amérique du Nord, un être semblable vivrait dans les Rocheuses : le Big Foot.

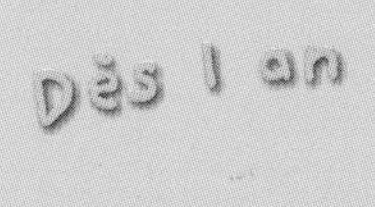

Des livres qui gran

Découvre tes pro

La collection Pourquoi - Comment ? répond aux q

la collection des grandes imageries : animaux - tra

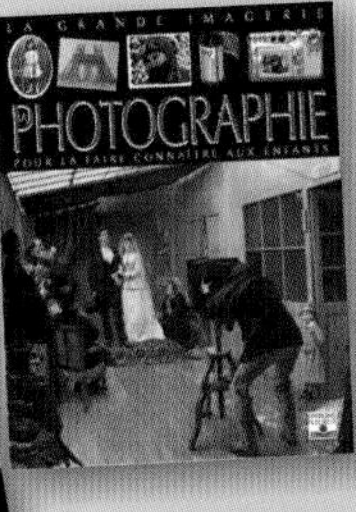

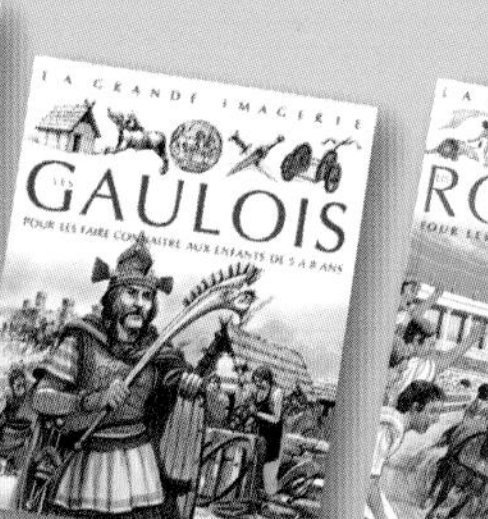

32 pages + des images à découper.